# Salades
# des 4 Saisons

GRÜND

# Salade de crudités

**Préparation : 10 minutes**
**Pour 4 personnes en plat principal,**
**ou 6 à 8 personnes en entrée**

1 romaine

1/2 concombre

4 tomates fermes

4 branches de céleri

8 carottes

100 g de champignons

1 botte de radis

**Choix d'assaisonnements :**

15 cl de mayonnaise (recette 30)

15 cl d'hummus (recette 6)

15 cl de sauce au yaourt (recette 32)

Cette salade est très simple à préparer puisque chaque convive assaisonne ses légumes. Pour une entrée, vous pouvez aussi détailler les légumes en petits morceaux avant de les disposer sur un plat.

**1.** Lavez tous les légumes. Pelez-les ou grattez-les, selon le cas.
**2.** Disposez-les par catégorie sur un grand plat.
**3.** Présentez les assaisonnements dans des coupelles.

# Artichauts au tarama

**Préparation : 15 minutes, plus mise au frais**
**Cuisson : 20-40 minutes**
**Pour 4 personnes en entrée ou pour un repas léger, selon la grosseur des artichauts.**

4 artichauts

sel

**Tarama :**

100 g d'œufs de cabillaud fumés

15 cl d'huile d'olive

15 cl de crème fraîche

2 cuillères à soupe de jus de citron

poivre du moulin

**1.** Lavez les artichauts et coupez les tiges au ras des feuilles. Retirez les feuilles extérieures abîmées. Coupez le haut des feuilles avec des ciseaux, en en enlevant 2 cm environ.

**2.** Faites cuire les artichauts 20 à 40 minutes environ, à découvert, dans un grand volume d'eau bouillante salée. Le temps de cuisson dépend de la grosseur et de l'âge des légumes. Retirez-les du récipient et posez-les à l'envers sur une assiette pour qu'ils s'égouttent.

**3.** Pour confectionner le tarama, retirez la membrane qui enveloppe les œufs de poisson, puis mettez-les dans un saladier (si la membrane résiste, faites tremper la poche d'œufs quelques secondes dans de l'eau bouillante). Incorporez peu à peu l'huile, la crème fraîche et le jus de citron, jusqu'à ce que la préparation soit homogène. Salez et poivrez. Vous pouvez aussi travailler tous les ingrédients au mixeur. Mettez le tarama au frais afin qu'il épaississe.

**4.** Dès que les artichauts sont froids, enlevez le foin : écartez les grosses feuilles pour dégager, puis détacher, les petites feuilles tendres du milieu. Retirez le foin avec une cuillère à café.

**5.** Mettez du tarama au centre de chaque artichaut. Pour savourer ce mets, plongez la base de chaque feuille d'artichaut dans le tarama.

# Taboulé

**Préparation : 10 minutes, plus temps de trempage**
**Pour 8 personnes en entrée**

225 g de boulgour ou de semoule pour couscous, préalablement mis à tremper dans 1 litre d'eau froide pendant 1 heure

6 cuillères à soupe d'huile d'olive

4 cuillères à soupe de jus de citron

6 cuillères à soupe de persil frais haché

2 cuillères à soupe de menthe fraîche

6 ciboules finement émincées

sel

poivre du moulin

**Pour servir :**

1 laitue

4 tomates coupées en quartiers

1 morceau de concombre de 5 cm, détaillé en rondelles épaisses et coupées en deux

8 olives noires

brins de persil ou de menthe

Cette salade libanaise peut être servie immédiatement. Sinon, couvrez-la jusqu'au moment du repas ou laissez-la une nuit au frais.

**1.** Égouttez le boulgour ou la semoule ; exprimez l'excès d'eau.
**2.** Versez l'huile d'olive et le jus de citron dans un grand saladier. Ajoutez le persil, la menthe, les ciboules, du sel et du poivre. Remuez bien le tout.
**3.** Mettez le boulgour ou la semoule dans le saladier et mélangez.
**4.** Pour servir, disposez un lit de feuilles de laitue sur un plat ou des assiettes individuelles. Placez le taboulé au centre et décorez le pourtour de tomates, de concombre, d'olives et de brins de persil ou de menthe.

# Pommes en salade

**Préparation : 10 minutes, plus mise au frais**
**Cuisson : 15-20 minutes**
**Pour 4 personnes**

750 g de pommes de terre nouvelles, lavées

15 cl de mayonnaise (recette 30)

1 cuillère à soupe de vinaigre

2 ciboules hachées

1 cuillère à soupe de cornichons hachés

1 cuillère à soupe de câpres

8 olives farcies, finement émincées

poivre du moulin

**Pour garnir :**

olives farcies

cornichons

**1.** Mettez les pommes de terre dans une casserole et couvrez-les d'eau froide. Portez à ébullition et laissez frémir 10 à 15 minutes, selon la grosseur des pommes de terre. Égouttez-les et laissez-les tiédir.
**2.** Placez la mayonnaise dans un saladier assez grand. Incorporez le vinaigre, puis ajoutez ciboules, cornichons, câpres et olives. Poivrez et mélangez bien.
**3.** Si les pommes de terre sont petites, ne les détaillez pas. Dans le cas contraire, coupez-les en deux ou en quatre. Mettez-les dans l'assaisonnement et remuez bien. Laissez-les refroidir complètement.
**4.** Vous pouvez servir cette salade immédiatement, ou la couvrir et la mettre au frais jusqu'au moment du repas.

# Salade pascale

**Préparation : 15 minutes**
**Cuisson : 10 minutes**
**Pour 4 personnes en plat principal**

| |
|---|
| 6 à 8 œufs |
| pelures de 2 ou 3 gros oignons |
| 1 laitue ciselée |
| 100 g de germes de soja |
| 30 cl de sauce verte (recette 30) |

**1.** Dans une casserole, versez suffisamment d'eau pour y faire durcir les œufs. Ajoutez les pelures d'oignon et portez à ébullition (l'eau prendra une teinte ambrée).

**2.** Mettez les œufs dans le récipient et laissez cuire 8 minutes. Retirez-les et plongez-les dans de l'eau froide.

**3.** Écalez-les, puis remettez-les dans l'eau colorée. Maintenez l'ébullition 2 minutes encore, jusqu'à ce que les œufs soient dorés. Retirez-les et laissez-les refroidir.

**4.** Pour servir, façonnez un nid sur un plat avec la laitue ciselée et le soja. Disposez les œufs dessus.

**5.** Nappez-les de sauce verte ; servez le reste à part.

# Hummus

**Préparation : 10 minutes, plus temps de trempage**
**Cuisson : 1 h à 1 h 30**

| |
|---|
| 100 g de pois chiches |
| 60 cl d'eau |
| 15 cl de yaourt non sucré |
| 2 cuillères à soupe de jus de citron |
| 3 cuillères à soupe de tahini (pâte à base de graines de sésame) ou de beurre de cacahuètes |
| sel |
| poivre du moulin |
| **Pour garnir :** |
| paprika |

Cette entrée est un plat typique de la cuisine libanaise.

**1.** Faites tremper les pois chiches dans l'eau toute une nuit. Sinon, laissez-les tremper 2 heures dans le même volume d'eau bouillante.

**2.** Transférez les pois chiches et l'eau dans une cocotte. Couvrez, laissez bouillir 10 minutes, puis faites mijoter 1 heure à 1 h 30, en ajoutant de l'eau si besoin est, jusqu'à ce que les pois soient tendres.

**3.** Égouttez-les, en réservant l'eau de cuisson.

**4.** Écrasez-les avec deux cuillères à soupe d'eau de cuisson. Incorporez le yaourt, le jus de cuisson, le tahini ou le beurre de cacahuètes, et assaisonnez avec du sel et du poivre. Vous pouvez aussi mettre tous les ingrédients dans un mixeur et les travailler jusqu'à ce que la préparation soit homogène. Diluez-la, si besoin est, avec un peu de liquide de cuisson.

**5.** Couvrez et mettez au frais jusqu'au moment de servir.

**6.** Saupoudrez de paprika.

# Mousse aux asperges

**Préparation : 15 minutes, plus mise au frais**
**Cuisson : 25-40 minutes**
**Pour 4 personnes en plat principal, ou 6 en entrée**

450 g d'asperges

30 cl d'eau

25 g de beurre ou de margarine

25 g de farine

15 g de gélatine, à dissoudre dans 2 cuillères à soupe d'eau chaude

15 cl de crème fraîche ou de yaourt nature non sucré

zeste râpé de 1/2 citron et 1 cuillère à soupe de jus de citron

1 œuf dur, écalé et haché menu

sel

poivre du moulin

1 laitue pour servir

**1.** Lavez les asperges et retirez la partie fibreuse des tiges. Coupez les pointes en laissant 5 cm environ de tige et faites-les cuire à eau frémissante salée 5 à 10 minutes environ. Sortez-les avec une écumoire et laissez-les refroidir.
**2.** Hachez grossièrement les tiges qui restent et mettez-les dans l'eau frémissante. Couvrez et faites cuire 15 à 30 minutes, jusqu'à ce qu'elles soient tendres. Égouttez, en réservant l'eau de cuisson.
**3.** Allongez l'eau de cuisson avec de l'eau ou du lait, pour obtenir 30 cl de liquide. Faites fondre la matière grasse dans une poêle et ajoutez la farine. Dès que le roux est homogène, incorporez-lui le liquide peu à peu. Portez à ébullition, en remuant jusqu'à ce que la sauce épaississe. Ajoutez les tiges hachées ; laissez frémir 3 minutes.
**4.** Versez la sauce dans une jatte, puis la gélatine dissoute ; laissez refroidir, sans que la préparation se gélifie.
**5.** Incorporez la crème et le yaourt, le jus et le zeste de citron, et l'œuf dur. Salez et poivrez. Transférez dans un moule et faites prendre au frais. Couvrez les pointes d'asperges et mettez-les au frais jusqu'au moment de servir.
**6.** Pour présenter la mousse, disposez des feuilles de laitue sur des assiettes et posez-la dessus. Garnissez avec les pointes d'asperges. Sinon, vous pouvez démouler la mousse et la décorer de feuilles de laitue et de pointes d'asperges.

# Salade à l'indienne

**Préparation : 20 minutes, plus temps
de refroidissement
Cuisson : 30 minutes
Pour 4 à 6 personnes**

2 cuillères à soupe d'huile

1 oignon de moyenne grosseur,
pelé et émincé

1 gousse d'ail épluchée et
écrasée

1 petite pomme épluchée,
évidée et hachée

1 cuillère à soupe de curry

30 cl de bouillon de volaille

zeste râpé de 1/2 citron

1/2 cuillère à soupe de jus de
citron

225 g de pommes de terre
nouvelles, grattées ou pelées

225 g de carottes nouvelles,
grattées ou pelées

225 g de chou-fleur divisé en
bouquets

225 g de petites courgettes
coupées en rondelles de 5 mm

50 g de raisins de Smyrne

**Pour garnir :**

25 g d'amandes effilées

1 cuillère à soupe de persil
frais haché

**1.** Dans une poêle avec l'huile chaude,
mettez à revenir 5 minutes l'oignon, l'ail et
la pomme.
**2.** Saupoudrez de curry et laissez cuire
2 minutes à feu doux. Versez le bouillon et
le jus de citron. Portez à ébullition et
laissez frémir 2 minutes.
**3.** Coupez les pommes de terre en dés et les
carottes en bâtonnets de 5 mm. Ajoutez-les
à la sauce au curry, couvrez et faites
mijoter 10 minutes.
**4.** Ajoutez le chou-fleur, les courgettes et
les raisins secs ; remuez délicatement.
Couvrez et continuez la cuisson
10 minutes encore à petits frémissements,
jusqu'à ce que les légumes soient « al
dente ». Transférez dans un saladier et
laissez refroidir.
**5.** Pour servir, remuez délicatement les
légumes dans la sauce. Parsemez
d'amandes et de persil. Cette salade peut
aussi se servir sur un lit de laitue ou du riz
cuit, refroidi.

# Carottes printanières

**Préparation : 10 minutes
Cuisson : 10 minutes environ
Pour 4 personnes**

500 g de carottes nouvelles,
grattées

30 cl d'eau

sel

poivre du moulin

15 cl de yaourt nature non
sucré

zeste râpé et jus de 1/2 citron

2 cuillères à soupe de persil ou
de ciboulette frais hachés (ou
un mélange des deux)

**1.** Si les carottes sont très petites,
laissez-les entières. Sinon, coupez-les en
deux ou en quatre, dans le sens de la
longueur.
**2.** Mettez-les dans une casserole avec
l'eau ; salez et poivrez. Faites-les cuire à
petits bouillons 5 à 10 minutes ; elles
doivent être encore croquantes.
Égouttez-les et laissez-les refroidir.
**3.** Pour la sauce mélangez le yaourt, le
zeste et le jus de citron, les herbes, du sel
et du poivre.
**4.** Mettez les carottes refroidies dans un
plat de service et nappez-les de sauce.

# Épinards tièdes

**Préparation : 5 minutes**
**Cuisson : 5 minutes**
**Pour 4 personnes**

350 g d'épinards frais et jeunes

**Vinaigrette aux lardons :**

2 cuillères à soupe d'huile

100 g de lard maigre, découenné et coupé en lardons

1 petite gousse d'ail

1 cuillère à soupe de vinaigre

**1.** Lavez les épinards à grande eau et équeutez-les. Égouttez-les et épongez-les. Laissez les petites feuilles entières et fragmentez les autres. Mettez-les dans un grand saladier.
**2.** Pour l'assaisonnement, faites chauffer l'huile dans une poêle et mettez-y les lardons et l'ail à revenir pendant 5 minutes, jusqu'à ce que les lardons soient croustillants.
**3.** Hors du feu, versez le vinaigre (éloignez-vous, car il grésillera au contact de la graisse chaude). Nappez immédiatement les épinards avec cette sauce chaude et remuez bien.
**4.** Servez sans attendre.

# Salade diététique

**Préparation : 5 minutes**
**Pour 4 personnes en plat principal,**
**ou 6 en entrée**

450 g de fromage blanc non battu

1 cuillère à soupe de persil frais haché

1 cuillère à soupe de menthe fraîche hachée (à défaut, remplacez par estragon, basilic, etc.)

1 cuillère à soupe de ciboulette hachée

4 grosses olives noires dénoyautées et hachées

sel

poivre du moulin

225 g de jambon, coupé en dés

225 g de concombre, coupé en dés

**Pour garnir :**

1 laitue ou 1/2 chicorée

olives noires

brins de menthe, d'estragon ou de persil

**1.** Mettez le fromage blanc dans un saladier avec les herbes et les olives. Salez et poivrez.
**2.** Ajoutez le jambon et le concombre, et mélangez bien tous les ingrédients.
**3.** Servez immédiatement, ou couvrez et mettez au frais jusqu'à l'heure du repas (pas trop longtemps toutefois, car l'eau rendue par le concombre dénaturerait la saveur de la salade).
**4.** Pour servir, disposez des feuilles de laitue ou de chicorée dans une coupelle ou un plat. Mettez la salade au centre et garnissez-la d'olives et de brins de menthe ou de persil.

# Salade nordique

**Préparation : 10 minutes, plus trempage**
**Cuisson : 45 minutes - 1 heure**

225 g de haricots secs (haricots blancs ou cornilles), mis à tremper une nuit dans l'eau, ou couverts d'eau bouillante pour qu'ils trempent 2 heures minimum

60 cl d'eau

1 petit oignon pelé, haché menu

1 feuille de laurier

poivre du moulin

15 cl de vinaigrette (recette 32)

2 cuillères à café de raifort

sel

1 cuillère à soupe de persil frais haché

225 g de truite fumée, sans la peau et effeuillée

4 œufs durs écalés, puis hachés

**Pour garnir :**

1 laitue

brins d'aneth ou de persil

**1.** Dans une casserole avec l'eau, mettez les haricots trempés, l'oignon, le laurier et du poivre. Couvrez et portez à ébullition. Laissez bouillir 10 minutes, puis faites cuire à petits frémissements 45 minutes à 1 heure, jusqu'à ce que les haricots soient tendres, mais non écrasés. Égouttez-les et laissez-les refroidir.

**2.** Additionnez la vinaigrette de raifort ou de condiment. Salez, ajoutez le persil et versez sur les haricots. Remuez bien.

**3.** Ajoutez délicatement le poisson et les œufs durs. Servez sans attendre, ou couvrez et mettez au frais jusqu'à l'heure du repas.

**4.** Pour servir, disposez la laitue sur un plat ou des assiettes. Placez la salade dessus et garnissez de brins d'aneth.

# Haricots verts niçoise

**Préparation : 10 minutes**
**Cuisson : 5 minutes**
**Pour 6 personnes en entrée**

450 g de haricots verts

sel

6 cuillères à soupe d'huile
d'olive

2 cuillères à soupe de jus de
citron

1 petite gousse d'ail écrasée

2 œufs durs écalés et hachés
menu

poivre du moulin

8 petites olives noires

**1.** Effilez et équeutez les haricots verts.
S'ils sont fins, laissez-les entiers ; sinon,
coupez-les en deux.
**2.** Plongez-les dans une casserole d'eau
bouillante salée et laissez frémir 5 minutes
environ.
**3.** Égouttez-les et rincez-les à l'eau froide.
**4.** Pour l'assaisonnement, versez l'huile
d'olive dans un grand saladier. Ajoutez le
jus de citron, l'ail, les œufs, les olives, du
sel et du poivre ; mélangez bien.
**5.** Mettez les haricots dans le saladier et
remuez bien la salade.
**6.** Selon le goût, servez avec du poulet, de
la viande ou du poisson froid.

**Variante :**
Pour donner une note provençale à cette
salade, agrémentez-la de 50 g de filets
d'anchois émincés.

# Tomates italiennes

**Préparation : 10 minutes**
**Pour 6 personnes en entrée**

6 tomates (750 g environ), en
tranches fines

175 g de mozzarella, en fines
lamelles

12 petites olives noires

**Assaisonnement :**

4 cuillères à soupe d'huile
d'olive

1,5 cuillère à soupe de vinaigre

2 cuillères à soupe de basilic
frais haché

sel

poivre du moulin

**1.** Disposez les tomates et les tranches de
mozzarella dans un plat.
**2.** Parsemez d'olives noires.
**3.** Pour la sauce, mélangez l'huile et le
vinaigre, puis ajoutez le basilic, du sel et
du poivre.
**4.** Nappez-en la salade. Servez
immédiatement, ou couvrez et mettez au
frais jusqu'à l'heure du repas.

# Ratatouille froide

**Préparation : 15 minutes**
**Cuisson : 35 minutes**
**Pour 4 personnes**

2 cuillères à soupe d'huile d'olive

1 oignon moyen, pelé et émincé

1 gousse d'ail épluchée et écrasée

450 g de courgettes émincées

225 g de tomates pelées et émincées

1 petite aubergine, coupée en dés

1 poivron vert coupé en quatre, épépiné et émincé

thym

1 cuillère à soupe d'origan frais ou 1 pincée d'origan séché

1 feuille de laurier

sel

poivre du moulin

1 cuillère à soupe de persil frais haché pour garnir

**1.** Faites chauffer l'huile dans une cocotte et mettez-y l'oignon et l'ail à revenir 5 minutes.
**2.** Ajoutez les courgettes, les tomates, l'aubergine et le poivron. Parfumez avec les herbes ; salez, poivrez et remuez délicatement.
**3.** Portez à ébullition, en remuant légèrement. Couvrez et laissez mijoter 30 minutes environ, jusqu'à ce que les légumes soient tendres, mais pas écrasés. Laissez refroidir.
**4.** Pour servir, parsemez la ratatouille de persil haché. Ce mets accompagne parfaitement les grillades ou le poulet froid.

# Tomates pipérade

**Préparation : 10 minutes**
**Cuisson : 20 minutes**
**Pour 4 personnes**

4 grosses tomates

50 g de beurre

2 tranches de lard fumé, découennées et hachées

1 échalote épluchée et hachée

1 petit poivron rouge ou vert, épépiné et haché

4 œufs légèrement battus

sel

poivre du moulin

**1.** Coupez le dessus des tomates et gardez-le comme chapeau. Retirez l'intérieur des tomates et hachez-le.
**2.** Faites fondre 25 g de beurre dans une poêle et faites revenir 5 minutes le lard, l'échalote et le poivron. Ajoutez l'intérieur des tomates. Amenez à ébullition, puis laissez frémir 10 minutes, en tournant, pour obtenir une purée épaisse.
**3.** Dans une autre poêle, faites fondre le reste de beurre et versez les œufs. Laissez cuire à feu doux, en tournant, pour obtenir des œufs brouillés. Ajoutez la pipérade, salez, poivrez, laissez refroidir.
**4.** Remplissez les tomates avec la pipérade, replacez les chapeaux et mettez au frais.

# Salade de betteraves

**Préparation : 10 minutes**
**Pour 4 personnes**

450 g de betterave cuite et
  pelée

15 cl de yaourt nature

1/2 pamplemousse rose

2 cuillères à soupe de
  ciboulette fraîche hachée

sel

poivre du moulin

**1.** Détaillez la betterave en dés de 1 cm environ de côté et mettez-les dans un saladier.
**2.** Placez le yaourt dans un grand bol. Prélevez l'écorce et la peau blanche du pamplemousse. Coupez les quartiers en dés.
**3.** Répartissez la chair du pamplemousse sur la betterave.
**4.** Mettez la ciboulette, du sel et du poivre dans le yaourt ; mélangez bien. Versez cette sauce sur la salade, mais ne la remuez pas, car le contraste de couleurs est agréable à l'œil. Servez immédiatement. Ce mets s'accorde particulièrement bien avec le rosbif ou le gigot froids.

# Gigot en salade

**Préparation : 10 minutes**
**Pour 4 personnes en repas léger**

450 g de gigot froid (cuit
  saignant)

4 cuillères à soupe d'huile
  d'olive ou d'arachide

2 cuillères à soupe de vinaigre

2 cuillères à soupe de menthe
  ou de basilic frais hachés

sel

poivre du moulin

4 ciboules hachées ou
  2 oignons nouveaux

225 g de petits pois cuits

**Pour servir :**

1 laitue

brins de menthe ou de basilic

**1.** Coupez la viande en cubes de 2 cm environ de côté.
**2.** Pour la sauce, versez l'huile dans un grand saladier. Ajoutez le vinaigre, la menthe ou le basilic, du sel, du poivre, puis remuez bien.
**3.** Mettez les ciboules et la viande ; mélangez les ingrédients afin qu'ils soient bien enrobés de sauce. Ajoutez les petits pois.
**4.** Au moment de servir, ciselez la laitue et ajoutez-la à la salade. Garnissez de menthe ou de basilic.

# Saumon froid mayonnaise

**Préparation : 15 minutes**
**Cuisson : 20 minutes**
**Four : 180° C**
**Pour 4 personnes**

4 darnes de saumon (175 g
environ chacune)

sel

poivre du moulin

1 citron

4 brins de persil

4 cuillères à soupe de vin blanc
sec ou d'eau

1 petit concombre (25 cm
environ)

15 cl environ de mayonnaise
(recette 30)

**Pour garnir :**

brins de persil

1 laitue

**1.** Mettez le saumon dans un plat à four
beurré ; salez et poivrez.
**2.** Coupez le citron en fines rondelles et
posez une rondelle sur chaque darne de
saumon.
**3.** Placez ensuite un brin de persil sur
chacun d'elles et versez le vin ou l'eau.
**4.** Couvrez le plat de papier d'aluminium.
Mettez 20 minutes environ au four, jusqu'à
ce que le saumon soit cuit, sans être
desséché. Laissez refroidir.
**5.** Pour la sauce, détaillez le concombre en
rondelles de 5 mm environ d'épaisseur,
puis en petits dés, que vous mettrez dans
un saladier.
**6.** Mélangez la mayonnaise et le concombre
en diluant avec un peu de liquide de
cuisson du saumon ; salez et poivrez.
Ajoutez de la mayonnaise si vous voulez
préparer davantage de sauce.
**7.** Pour servir, retirez délicatement la peau
du poisson, ainsi que l'arête centrale, sans
abîmer les darnes. Jetez le citron et le
persil. Disposez le poisson sur un plat.
Mettez de la sauce au centre de chaque
darne, là où se trouvait l'arête. Garnissez
de feuilles de laitue et de brins de persil.

# Salade estivale

**Préparation : 15 minutes**
**Pour 4 personnes en entrée**

1 petit melon mûr

100 g de fraises équeutées

1 morceau de concombre de 7 cm

1 petite laitue croquante ciselée

4 cuillères à soupe de vinaigrette (recette 32)

2 cuillères à soupe de menthe fraîche hachée

sel

poivre du moulin

15 g d'amandes effilées pour garnir

**1.** Coupez le melon en quartiers, puis retirez les graines et l'écorce. Détaillez la chair en cubes de 1 cm environ de côté, ou prélevez-en des boules à l'aide d'une cuillère spéciale.
**2.** Émincez les fraises et le concombre.
**3.** Pour servir, disposez des feuilles de laitue sur un grand plat ou quatre assiettes. Répartissez melon, fraises et concombre dessus.
**4.** Mélangez la vinaigrette et la menthe ; salez et poivrez. Nappez la salade de sauce au moment de servir et parsemez d'amandes.

**Variantes :**
Vous pouvez servir cette salade dans l'écorce évidée de deux petits melons. Remplacez les fraises par des bananes ou des kiwis.

# Laitue dieppoise

**Préparation : 15 minutes**
**Pour 4 personnes**

1 grosse laitue pommée

4 œufs durs écalés et hachés

225 g de crevettes roses décortiquées

175 g de chair de crabe

15 cl de mayonnaise aux anchois (recette 30)

1 cuillère à soupe de jus de citron

2 cuillères à soupe de ciboulette hachée

2 cuillères à soupe de persil haché

sel

poivre du moulin

8 crevettes non décortiquées pour garnir (facultatif)

**1.** Débarrassez la laitue des feuilles extérieures abîmées, mais laissez-la entière. Lavez-la avec soin et secouez-la pour éliminer l'excès d'eau. Posez-la à l'envers sur du papier absorbant ou un linge propre pour qu'elle s'égoutte.
**2.** Pour la farce, mettez les œufs hachés dans un saladier avec les crevettes et le crabe. Ajoutez la mayonnaise, le jus de citron, la ciboulette et le persil ; salez et poivrez bien.
**3.** Mettez la laitue sur un grand plat. Écartez délicatement les feuilles pour obtenir une cavité au centre. Détachez les feuilles qui forment le cœur et réservez-les pour la garniture.
**4.** Placez la farce au centre de la laitue. Garnissez de crevettes non décortiquées et de feuilles de laitue.

# Fèves au lard

**Préparation : 10 minutes**
**Cuisson : 5-10 minutes**
**Pour 4 à 6 personnes**

450 g de fèves écossées

sel

4 tranches de lard maigre
découennées pour garnir

2 cuillères à soupe de persil
frais haché

15 cl de yaourt nature non
sucré

poivre du moulin

**1.** Mettez les fèves dans une casserole avec un peu de sel. Versez un volume suffisant d'eau bouillante pour les couvrir et laissez frémir 5 minutes environ.
**2.** Égouttez-les et rincez-les à l'eau froide.
**3.** Faites griller le lard jusqu'à ce qu'il soit bien croustillant. Égouttez-le sur du papier absorbant ; laissez refroidir.
**4.** Pour la sauce, mélangez le persil et le yaourt, puis salez et poivrez.
**5.** Assaisonnez les fèves avec la sauce. Transférez la salade sur un plat de service et émiettez le lard dessus.

# Pâtes au pistou

**Préparation : 5 minutes**
**Cuisson : 15 minutes**
**Pour 4 à 6 personnes**

225 g de pâtes (spaghetti,
nouilles, coquillettes, etc.)

25 g de basilic frais haché

25 g de parmesan râpé

1 gousse d'ail épluchée et
écrasée

6 cuillères à soupe d'huile
d'olive

1 cuillère à soupe de jus de
citron

sel

poivre du moulin

25 g de pignons ou d'amandes
effilées broyées

Cette salade est excellente avec les viandes froides ou le jambon. A défaut de basilic frais, utilisez 2 cuillères à soupe de persil frais haché et 1 cuillère à soupe de basilic séché ; sinon, prenez 2 à 3 cuillères à soupe de sauce pistou toute prête.

**1.** Faites cuire les pâtes dans un grand volume d'eau bouillante salée : comptez 10-15 minutes pour qu'elles soient « al dente », sinon reportez-vous aux indications portées sur l'emballage.
**2.** Égouttez-les et rafraîchissez-les à l'eau froide.
**3.** Pour la sauce, mettez le basilic dans un grand saladier. Ajoutez le parmesan, l'ail, l'huile, le jus de citron, du sel et du poivre. Battez le mélange jusqu'à ce qu'il soit homogène. Vous pouvez aussi travailler les ingrédients au mixeur, en laissant les feuilles de basilic entières.
**4.** Ajoutez les pignons ou les amandes, puis les pâtes froides, et remuez bien la salade. Si les pâtes absorbent beaucoup d'huile, versez-en 1 à 2 cuillères à soupe supplémentaires.

# Mayonnaise

**Préparation : 10-20 minutes**
**Pour 45 cl environ**

1 œuf entier ou 2 jaunes d'œufs

1/2 cuillère à café de moutarde

1 pincée de sel

1 cuillère à soupe de vinaigre
de vin ou de jus de citron

30 cl d'huile (ou un mélange
d'huile d'olive et d'huile pour
assaisonnement

crème fraîche fouettée
(facultatif)

Si vous souhaitez allonger cette mayonnaise pour assaisonner une salade, incorporez-y quelques cuillères à soupe de crème fraîche fouettée.

**1.** Posez un bol sur un linge plié humide, afin qu'il reste stable pendant que vous opérez.
**2.** Mettez dans le bol l'œuf entier ou les jaunes, puis la moutarde, le sel, et un peu de vinaigre ou de jus de citron. Avec une cuillère en bois, un petit fouet à main ou un batteur électrique, travaillez bien le mélange.
**3.** Sans cesser de fouetter, commencez à ajouter l'huile très lentement, goutte à goutte, jusqu'à ce que la mayonnaise prenne et que la moitié de l'huile ait été incorporée.
**4.** Versez le reste de vinaigre. Ajoutez l'huile qui reste en filet mince, régulier, en fouettant constamment, jusqu'à ce que la sauce soit très épaisse.

**Variantes :**
**Sauce verte.** Pour 30 à 45 cl de mayonnaise, il vous faut 50 g environ de cresson, débarrassé des grosses tiges, ou 50 g environ d'oseille, ou encore de fines herbes.

Hachez le cresson finement et ajoutez-le à la sauce.
**Mayonnaise aux anchois.** Pour 30 à 45 cl de mayonnaise, il vous faut 50 g de filets d'anchois et une cuillère à soupe de concentré de tomates.

Hachez menu les anchois ou écrasez-les, puis ajoutez-les à la mayonnaise avec leur huile et le concentré. Fouettez jusqu'à ce que le mélange soit homogène.
**Mayonnaise à l'ail.** Pour 30 à 45 cl de mayonnaise, il vous faut une ou deux gousses d'ail écrasées.

Vous pouvez soit incorporer l'ail en fin de préparation, soit le mettre avec les œufs au moment de monter la mayonnaise.

# Sauce au yaourt

**Préparation : 5 minutes**
**Pour 15 cl environ**

15 cl de yaourt nature non
sucré

1 cuillère à soupe de jus de
citron

sel

poivre du moulin

**1.** Mettez le yaourt dans un bol et fouettez-le bien.
**2.** Versez le jus de citron ; salez et poivrez. Couvrez et mettez au frais jusqu'au moment de servir.

**Variantes :**
**Avec des herbes.** Agrémentez la sauce de deux cuillères à soupe d'herbes fraîches hachées (cresson, persil, ciboulette, thym, basilic, estragon, menthe).
**Avec un fromage persillé.** Ajoutez deux cuillères à soupe de roquefort, de bleu d'Auvergne ou de fourme, préalablement émiettés.
**Avec du concombre et de la menthe.** Râpez grossièrement un morceau de concombre non pelé de 4 cm de long et incorporez-le à la sauce avec une cuillère à soupe de menthe fraîche.

# Vinaigrette

**Préparation : 5 minutes**
**Pour 15 cl de vinaigrette**

2 cuillères à soupe de vinaigre
de vin ou de jus de citron

6 cuillères à soupe d'huile
(d'olive, de tournesol ou
d'arachide)

1 pointe de moutarde
(facultatif)

1 pincée de sel

poivre du moulin

Pour cette sauce, on utilise habituellement trois cuillères à soupe d'huile pour une cuillère à soupe de vinaigre, mais on peut varier ces proportions selon le goût et la force de l'huile et du vinaigre employés.

**1.** Placez tous les ingrédients dans un bocal muni d'un couvercle hermétique. Agitez vigoureusement jusqu'à ce qu'ils soient bien mélangés. Agitez à nouveau au moment d'utiliser la vinaigrette.

**Variantes :**
Agrémentez la vinaigrette avec l'un ou plusieurs des ingrédients suivants :
1 à 2 cuillères à soupe d'herbes fraîches hachées (persil ciboulette, estragon, cerfeuil, thym, basilic, menthe) ;
le zeste râpé de 1/2 citron ;
une petite gousse d'ail épluchée (ajoutée entière pour parfumer délicatement la sauce, ou écrasée pour en accentuer la saveur).

# Salade de poulet à l'estragon

**Préparation : 20 minutes**
**Cuisson : 45 minutes à 1 heure**
**Pour 4 personnes en plat principal**

1 poulet de 1,5 kg environ, avec les abattis

1 oignon de moyenne grosseur, pelé et finement émincé

2 cuillères à soupe d'estragon frais haché

1 feuille de laurier

30 cl d'eau

sel

poivre du moulin

1 cuillère à soupe d'huile d'olive

1 cuillère à soupe de vinaigre

**Pour garnir :**

1 petite orange pelée et coupée en rondelles (facultatif)

1 bouquet de cresson

brins d'estragon frais

**1.** Dans une cocotte, mettez les abattis du poulet, l'oignon émincé, l'estragon et le laurier.

**2.** Placez le poulet dans la cocotte, versez l'eau, salez et poivrez. Couvrez et portez à ébullition. Laissez mijoter 45 minutes à 1 heure, en arrosant le poulet plusieurs fois jusqu'à cuisson complète.

**3.** Retirez-le et laissez-le refroidir sur une assiette. Jetez les autres ingrédients. Mesurez le liquide de cuisson.

**4.** Faites réduire le liquide à feu vif pour en obtenir 30 cl. Laissez refroidir et mettez au frais.

**5.** Dès que le poulet est froid, détachez la chair et jetez la peau (les os peuvent servir à la confection d'un bouillon). Coupez la chair en petits morceaux, que vous mettrez dans un saladier.

**6.** Dès que le bouillon est froid, dégraissez-le. Faites-le réchauffer à feu doux pour y incorporer l'huile et le vinaigre ; salez et poivrez. Versez cette sauce sur le poulet et remuez bien.

**7.** Servez cette salade immédiatement, ou couvrez-la et mettez-la au frais jusqu'au moment de passer à table. Pour la présenter, retournez-la sur un plat de service et garnissez de rondelles d'orange, le cas échéant, de cresson et d'estragon. Vous pouvez aussi la disposer sur un lit de laitue.

# Champignons à la vigneronne

**Préparation : 10 minutes**
**Cuisson : 15 minutes**
**Pour 4 personnes**

2 cuillères à soupe d'huile d'olive ou de maïs

2 oignons pelés, coupés en deux et émincés

1 branche de céleri émincée

1 grosse gousse d'ail épluchée et écrasée

2 tranches de lard maigre, découennées et coupées en lardons

15 cl de vin rouge

225 g de tomates pelées, coupées en quatre et épépinées

1 cuillère à soupe de feuilles de thym frais ou 1 cuillère à café de thym séché

1 feuille de laurier

sel

poivre du moulin

450 g de champignons de Paris lavés

2 cuillères à soupe de persil frais haché, pour garnir

**1.** Faites chauffer l'huile dans une sauteuse. Mettez-y à revenir les oignons, le céleri, l'ail et les lardons pendant 5 minutes, en remuant de temps en temps.
**2.** Ajoutez le vin, les tomates, le thym, le laurier, du sel et du poivre. Portez à ébullition, puis baissez la flamme.
**3.** Le cas échéant, coupez les gros champignons en deux ou en quatre ; laissez les autres entiers. Mettez-les dans la sauteuse.
**4.** Faites mijoter 10 minutes à feu doux. Laissez refroidir et retirez le laurier. Mettez 1 heure minimum au frais.
**5.** Pour servir, parsemez de persil haché. Ce mets, délicieux pour un buffet, accompagne aussi très bien les viandes froides.

# Salade de fenouil

**Préparation : 15 minutes**
**Pour 4 à 6 personnes**

2 petits bulbes de fenouil
(450 g environ)

4 petites pommes ou 3 grosses

50 g de noisettes décortiquées,
hachées grossièrement

15 cl de mayonnaise épaisse
(recette 30)

1 cuillère à soupe de vinaigre

sel

poivre du moulin

**1.** Coupez le fenouil en deux dans le sens de la hauteur ; réservez les feuilles vertes pour garnir. Détaillez-le en tranches très minces et mettez-le dans un grand saladier.
**2.** Coupez les pommes en quartiers, retirez le cœur et émincez-les. Ajoutez-les au fenouil avec les noisettes.
**3.** Dans un grand bol, mélangez la mayonnaise et le vinaigre jusqu'à ce que la sauce soit homogène. Salez et poivrez.
**4.** Nappez la salade de sauce et remuez bien.
**5.** Garnissez avec les feuilles de fenouil réservées.

# Poisson cru mariné

**Préparation : 15 minutes, plus**
**2 heures pour que le poisson marine**
**Pour 4 à 6 personnes**

500 g de poisson ferme à chair
blanche très frais

jus de 2 citrons, jaunes ou
verts

3 grosses tomates

1 petit poivron vert

1 morceau de concombre de
10 cm

2 cuillères à soupe d'huile

1 cuillère à soupe d'oignon
haché menu ou râpé

1 cuillère à soupe de ketchup

quelques gouttes de Tabasco
(facultatif)

sel

poivre du moulin

**Pour servir :**

1 petite laitue

rondelles de citron jaune ou
vert

**1.** Enlevez la peau du poisson et détaillez-le en très fines lanières, que vous mettrez dans un saladier.
**2.** Versez le jus de citron dessus et remuez. Couvrez, puis laissez 2 heures au moins au frais : la chair blanchira en devenant opaque, comme si le poisson était cuit.
**3.** Pendant ce temps, préparez les légumes. Pelez les tomates, épépinez-les et concassez la chair grossièrement.
**4.** Coupez le poivron en quatre, jetez les graines et détaillez-le en petits dés. Coupez le concombre en rondelles, puis en dés.
**5.** Dès que le poisson a suffisamment mariné, mélangez-le aux légumes.
**6.** Mélangez l'huile avec l'oignon, le ketchup, le Tabasco, du sel et du poivre ; versez sur la salade.
**7.** Pour servir, ciselez la laitue finement et répartissez-la sur des assiettes. Placez le poisson mariné au centre et garnissez de citron.

# Pommes à la crème

**Préparation : 10 minutes**
**Pour 4 personnes**

15 cl de yaourt nature non
  sucré

1 cuillère à soupe de câpres

1 cuillère à soupe de crème
  fraîche

sel

poivre

4 grosses pommes de terre
  cuites, émincées en longueur

1 petite laitue

1 botte de cresson pour garnir

Pour obtenir une salade plus copieuse,
agrémentez chaque portion d'une fine
tranche de lard grillée, entière ou en
lardons.

**1.** Mélangez le yaourt, les câpres et la
crème fraîche, jusqu'à ce que la sauce soit
onctueuse. Salez et poivrez selon le goût.
**2.** Répartissez des feuilles de laitue sur
quatre assiettes. Disposez une pomme de
terre émincée sur chacune d'elles.
**3.** Nappez cette salade de sauce à la crème.
**4.** Garnissez chaque assiette avec un petit
bouquet de cresson. Servez
immédiatement.

# Salade Véronique

**Préparation : 20 minutes**
**Cuisson : 10 minutes environ**
**Pour 4 personnes**

4 cuillères à soupe d'huile

1 gousse d'ail

4 blancs de poulet

50 g d'amandes effilées

15 cl de crème fraîche

1 cuillère à soupe de jus de
  citron

sel

poivre

1 petite laitue pour servir

225 g de raisin blanc, grains
  coupés en deux et épépinés

**1.** Faites chauffer l'huile dans une poêle et
ajoutez l'ail. Faites revenir les blancs de
poulet des deux côtés, de 5 à 10 minutes,
jusqu'à ce qu'ils soient dorés et bien cuits.
**2.** Retirez-les et égouttez-les sur du papier
absorbant. Mettez les amandes dans la
poêle et, en remuant constamment sur feu
doux, laissez-les blondir. Retirez-les et
égouttez-les. Laissez poulet et amandes
refroidir ; réservez l'huile de cuisson, que
vous laisserez également refroidir après
avoir jeté l'ail.
**3.** Mettez la crème fraîche dans un bol et
incorporez l'huile de cuisson refroidie,
puis le jus de citron ; salez et poivrez.
**4.** Disposez des feuilles de laitue sur un
plat. Répartissez le poulet dessus et
parsemez de grains de raisin.
**5.** Nappez le tout de sauce et décorez avec
les amandes.

# Salade chinoise

**Préparation : 10 minutes**
**Pour 4 personnes**

2 cuillères à soupe d'huile de maïs

2 cuillères à soupe de jus de citron

2 cuillères à soupe de miel liquide

1 cuillère à soupe de sauce de soja

100 g de champignons émincés

6 ciboules hachées

100 g de germes de soja

225 g de chou ciselé grossièrement

Pour obtenir une salade plus consistante, ajoutez 225 g de jambon cuit ou de viande rôtie froide, coupés en petits dés, ou de crevettes cuites.

**1.** Dans un saladier, mettez l'huile, le jus de citron, le miel et la sauce de soja ; mélangez bien le tout.

**2.** Ajoutez les champignons et remuez-les dans la sauce jusqu'à ce qu'ils soient bien colorés.

**3.** Ajoutez les ciboules et les germes de soja. Complétez avec le chou et mélangez bien.

# Salade montagnarde

**Préparation : 15 minutes**
**Pour 4 personnes**

4 tranches épaisses de pain (blanc ou bis), soit 100 g environ

15 cl de vinaigrette (recette 32)

1 cuillère à café de feuilles de thym frais ou une pincée de thym séché

8 petites branches de céleri émincées

4 tomates coupées en quatre

225 g de fromage à pâte dure (cantal, comté, tomme, etc.)

laitue ou chicorée (facultatif)

feuilles de céleri pour garnir

**1.** Détaillez le pain en croûtons de 2 cm environ de côté ; mettez-les dans un saladier.

**2.** Mélangez la vinaigrette et le thym ; versez sur les croûtons. Remuez jusqu'à ce que le pain soit bien enrobé de sauce.

**3.** Ajoutez céleri et tomates ; remuez légèrement.

**4.** Coupez le fromage en petits cubes ou en bâtonnets ; ajoutez-le aux autres ingrédients.

**5.** Servez directement dans le saladier, ou présentez cette salade sur un lit de laitue ou de chicorée.

# Salade inca

**Préparation : 10 minutes, plus temps de trempage des piments**
**Pour 4 personnes en plat principal, ou 6 en entrée**

4 cuillères à soupe de vinaigrette (recette 32)

quelques gouttes de Tabasco

2 avocats de moyenne grosseur

350 g de pommes de terre, épluchées et cuites

1 boîte de thon (200 g), égoutté et émietté

1 laitue

4 petits piments verts, ou des rondelles de concombre, pour garnir

**1.** Versez la vinaigrette dans un saladier ; additionnez-la de sauce Tabasco pour en pimenter la saveur.
**2.** Coupez les avocats en deux, retirez les noyaux et pelez-les. Détaillez la chair en petits cubes, que vous passerez dans l'assaisonnement.
**3.** Coupez les pommes de terre en petits cubes, mettez-les avec les avocats et ajoutez le thon. Remuez délicatement le tout afin de ne pas écraser les avocats.
**4.** Garnissez un plat, ou des assiettes, de feuilles de laitue et disposez la salade dessus.
**5.** Décorez avec les piments, auxquels vous donnerez la forme d'une fleur. Avec un petit couteau pointu ou des ciseaux, coupez-les dans le sens de la longueur, de la pointe vers la base, en vous arrêtant à 1 cm environ de cette dernière. Continuez ainsi tout autour pour obtenir de fins pétales. Afin que les « fleurs » s'ouvrent, faites-les tremper une heure ou deux dans de l'eau glacée. A défaut de piments, ornez la salade de rondelles de concombre.

# Pommes provençales

**Préparation : 20 minutes**
**Cuisson : 1 h 15**
**Four : 190° C**
**Pour 4 à 6 personnes**

500 g de pommes de terre
  épluchées

1 petit oignon pelé

225 g de tomates

1 boîte de filets d'anchois
  (50 g)

une grosse pincée d'herbes de
  Provence

1 cuillère à soupe d'huile
  d'olive

**1.** Émincez les pommes de terre. Coupez l'oignon en deux, puis émincez-le. Détaillez les tomates en tranches fines.
**2.** Mettez les filets d'anchois, avec leur huile, dans un bol. Ajoutez les herbes. Réduisez le tout en pommade.
**3.** Avec un pinceau, huilez un plat à four de 5 cm environ de profondeur.
**4.** Disposez un tiers des pommes de terre dans le plat. Couvrez avec la moitié de l'oignon et des tomates ; étalez dessus la moitié de la pommade aux anchois. Continuez à alterner les ingrédients, en terminant avec des pommes de terre.
**5.** Badigeonnez le dessus d'huile et faites cuire 1 heure à 1 h 15 au four jusqu'à ce que le dessus soit doré et que les pommes de terre soient cuites.
**6.** Laissez refroidir.

# Rosbif aux radis

**Préparation : 15 minutes**
**Pour 4 personnes**

350 g de rosbif froid, cuit
  saignant

1 botte de radis

50 g de noix fraîches
  fragmentées

**Assaisonnement :**

4 cuillères à soupe d'huile de
  noix ou d'olive

2 cuillères à soupe de jus de
  citron

1 cuillère à soupe de vinaigre
  de vin

sel

poivre du moulin

**1.** Émincez le rosbif, coupez-le en lanières de 4 × 1 cm environ, que vous placerez dans un saladier.
**2.** Choisissez plusieurs beaux radis, dont vous ferez des « roses » pour la garniture : avec un petit couteau pointu, faites de longues incisions dans chaque radis, jusqu'à 1 cm de la base. Laissez-les une heure au moins dans de l'eau glacée pour qu'ils s'ouvrent. Émincez les autres finement ; mettez-les avec le bœuf. Ajoutez les noix.
**3.** Mélangez tous les ingrédients de l'assaisonnement et versez dans le saladier. Remuez bien.
**4.** Disposez la salade de bœuf et de radis sur un plat et décorez avec les « roses ».

# Salade de riz italienne

**Préparation : 10 minutes**
**Cuisson : 20 minutes**
**Pour 4 personnes**

2 cuillères à soupe d'huile

4 tranches de lard maigre, découenné et coupé en lardons

1 oignon de moyenne grosseur, pelé et haché

225 g de foies de volaille hachés

1 gousse d'ail épluchée et écrasée

225 g de riz à grains longs

60 cl de bouillon de volaille

feuilles fraîches d'origan ou de marjolaine

sel

poivre du moulin

1 boîte de maïs (200 g), égoutté

15 cl de vinaigrette (recette 32)

1 cuillère à soupe de persil frais haché pour garnir

**1.** Faites chauffer l'huile dans une sauteuse et mettez-y les lardons et l'oignon à revenir pendant 3 minutes.

**2.** Ajoutez les foies de volailles et l'ail, le cas échéant. Laissez revenir 2 minutes, en remuant de temps en temps.

**3.** Mettez le riz et faites-le revenir une minute. Ajoutez le bouillon, les herbes, du sel, du poivre et le maïs ; portez à ébullition.

**4.** Couvrez et laissez mijoter 15 minutes environ, jusqu'à ce que tout le liquide ait été absorbé et que le riz soit cuit.

**5.** Transférez le riz dans un saladier, versez la moitié de la vinaigrette dessus pendant qu'il est encore chaud et remuez bien. Laissez refroidir.

**6.** Au moment de servir, ajoutez le reste de vinaigrette et parsemez de persil haché. Accompagnez d'une salade verte.

# Poireaux à la grecque

**Préparation : 15 minutes**
**Cuisson : 30 minutes**
**Pour 4 personnes**

30 cl d'eau (ou d'eau additionnée de vin blanc sec)

2 cuillères à soupe d'huile d'olive

zeste râpé de 1 citron

2 cuillères à soupe de jus de citron

1 échalote ou 1 petit oignon, pelé et émincé

1 branche de céleri avec les feuilles

1 brin de persil

1 brin de thym, ou une pincée de thym séché

1 feuille de laurier

1 pincée de sel

6 grains de poivre

6 grains de coriandre

450 g de poireaux

**Chapelure aillée :**

25 g de beurre

1 cuillère à soupe d'huile

1 gousse d'ail pelée

50 g de chapelure

Au lieu de laisser les poireaux entiers, vous pouvez les détailler en tronçons de 2 cm ; ils cuiront plus rapidement.

**1.** Versez l'eau, ou l'eau additionnée de vin, dans un faitout. Ajoutez l'huile d'olive, le zeste et le jus de citron, l'oignon, le céleri, le persil, le thym, le laurier, le sel, le poivre et la coriandre. Couvrez, portez à ébullition et laissez frémir 10 minutes.

**2.** Coupez les racines des poireaux et l'extrémité fibreuse des feuilles, pour n'en garder que 18 cm environ.

**3.** Incisez le vert des poireaux dans le sens de la hauteur afin de les ouvrir. Lavez-les abondamment à l'eau.

**4.** Mettez-les dans l'eau frémissante, couvrez et faites cuire 10 à 15 minutes à petite ébullition, jusqu'à ce qu'ils soient tendres.

**5.** Retirez-les du récipient avec une écumoire et disposez-les sur un plat de service.

**6.** Faites réduire le court-bouillon pour obtenir 15 cl de liquide environ. Versez sur les poireaux (en retirant, selon le goût, les herbes et les épices). Laissez refroidir.

**7.** Pour préparer la chapelure aillée, faites chauffer le beurre et l'huile dans une poêle, puis ajoutez la gousse d'ail entière. Mettez la chapelure ; remuez jusqu'à ce qu'elle soit dorée et croustillante. Après refroidissement, jetez l'ail.

**8.** Au moment de servir, parsemez les poireaux de chapelure aillée.

# Timbale d'aubergines à la viande

**Préparation : 20 minutes, plus
dégorgement au sel
Cuisson : 40-50 minutes
Four : 180° C
Pour 4 personnes en plat principal**

500 g d'aubergines (3 environ
de moyenne grosseur)

1 cuillère à soupe de sel

6 cuillères à soupe d'huile

1 oignon de moyenne grosseur,
pelé et haché

450 g d'agneau ou de bœuf
haché

1 cuillère à café de concentré
de tomates

1 gousse d'ail pilée et écrasée

1 grosse tomate émincée

2 œufs

1 pincée de marjolaine séchée

poivre du moulin

**1.** Détaillez les aubergines en tranches fines de 3 mm environ d'épaisseur. Mettez-les dans une passoire et saupoudrez-les de sel, que vous répartirez uniformément sur les légumes. Posez la passoire sur une assiette ; laissez dégorger pendant 1 heure environ, afin que le jus amer s'écoule.

**2.** Rincez les aubergines à l'eau et épongez-les avec du papier absorbant.

**3.** Faites chauffer 2 cuillères à soupe d'huile dans une sauteuse. Mettez-y les aubergines à revenir jusqu'à ce qu'elles soient dorées des deux côtés, en ajoutant de l'huile, si besoin est. Retirez avec une écumoire et réservez.

**4.** Faites blondir l'oignon 5 minutes dans la dernière cuillère d'huile.

**5.** Ajoutez l'agneau ou le bœuf haché ; laissez dorer légèrement 5 à 10 minutes, en remuant. Parfumez avec le concentré et l'ail ; assaisonnez.

**6.** Beurrez légèrement un moule de 18 cm environ de diamètre. Tapissez fond et parois de tranches d'aubergines, que vous ferez chevaucher ; réservez-en quelques-unes pour le dessus.

**7.** Disposez les tranches de tomate au fond, de façon à couvrir les aubergines.

**8.** Ajoutez le hachis, en tassant légèrement. Battez les œufs avec la marjolaine et le poivre (ne salez pas, les aubergines le sont suffisamment).

**9.** Versez les œufs sur le hachis ; couvrez avec les aubergines qui restent.

**10.** Faites cuire 20 à 30 minutes au four, jusqu'à ce que le dessus soit ferme et doré ; les œufs doivent être pris. Laissez refroidir.

**11.** Pour démouler la timbale, passez un couteau-palette contre le bord interne du récipient et retournez sur un plat de service. Servez avec une salade verte.

# Salade de chou

**Préparation : 10 minutes**
**Pour 4 personnes**

| |
|---|
| 100 g de chou rouge |
| 100 g de chou blanc |
| 2 pommes, de préférence à peau rouge (facultatif) |
| 50 g de noix hachées (ou noisettes, amandes, etc.) |
| 15 cl de mayonnaise (recette 30) |
| 2 cuilleres à soupe de vinaigrette (recette 32) |
| 1 cuillère à soupe de persil frais haché, pour garnir |

**1.** Coupez les choux en fines lanières et mettez-les dans un saladier.
**2.** Détaillez les pommes en quartiers, en retirant le cœur, puis émincez-les finement, sans les peler. Mettez avec le chou.
**3.** Ajoutez les noix.
**4.** Mélangez la mayonnaise et la vinaigrette. Versez sur la salade et remuez jusqu'à ce que tous les ingrédients soient enrobés.
**5.** Transférez dans un plat de service et décorez avec du persil.

# Salade de céleri

**Préparation : 20 minutes, plus temps pour mariner**
**Pour 4 personnes**

| |
|---|
| jus de 1 citron |
| 2 cuillères à soupe de vinaigre |
| 2 cuillères à soupe d'huile |
| sel |
| poivre du moulin |
| 50 g de raisins secs |
| 225 g de céleri-rave (pesé, après avoir été pelé) |
| 225 g de carottes |

**1.** Mélangez le jus de citron, le vinaigre et l'huile dans un saladier ; salez et poivrez. Ajoutez les raisins secs.
**2.** Coupez le céleri et les carottes en fine julienne. Mettez-les dans l'assaisonnement.
**3.** Remuez les ingrédients afin qu'ils soient bien enrobés. Couvrez et laissez mariner 1 à 2 heures avant de servir, en remuant de temps à autre, jusqu'à ce que le céleri soit tendre.

# Salade hivernale

**Préparation : 10 minutes**
**Pour 4 à 6 personnes**

| |
|---|
| 1/2 chicorée frisée |
| 1 grosse endive |
| 1 chicorée de Trévise |
| 1 botte de cresson |
| les feuilles d'un pied de céleri |
| 4 cuillères à soupe de vinaigrette (recette 32) |

**1.** Divisez la chicorée frisée et mettez les feuilles dans un saladier.
**2.** Coupez l'endive en rondelles fines ; transférez dans le saladier.
**3.** Détachez les feuilles de la Trévise ; mettez avec les autres salades.
**4.** Retirez les grosses tiges du cresson ; divisez les feuilles du pied de céleri. Placez dans le récipient.
**5.** Au moment de servir, versez l'assaisonnement et remuez bien pour enrober les feuilles.

# Brocolis niçois

**Préparation : 10 minutes**
**Cuisson : 10 minutes**
**Pour 4 personnes en plat principal,**
**ou 6 en entrée**

450 g de brocolis

1 boîte de thon (200 g), égoutté
 et émietté

2 œufs durs écalés

1 boîte de filets d'anchois
 (50 g)

8 olives noires dénoyautées

15 cl de vinaigrette (recette 32)

**1.** Détachez les brocolis en petits bouquets. Faites-les cuire 5 à 10 minutes à l'eau bouillante salée, jusqu'à ce qu'ils soient tendres, mais encore croquants. Égouttez-les et rincez-les à l'eau froide pour qu'ils refroidissent rapidement.
**2.** Dès qu'ils sont froids, disposez-les dans un plat de service et répartissez le thon dessus.
**3.** Coupez les œufs durs en quartiers et placez-les sur les ingrédients, avec les anchois et les olives.
**4.** Versez l'assaisonnement sur la salade.

# Choux de Bruxelles

**Préparation : 20 minutes**
**Cuisson : 15 minutes environ**
**Four : 230° C**
**Pour 4 personnes**

225 g de marrons

350 g de choux de Bruxelles

15 cl de vinaigrette (recette 32)

sel (facultatif)

poivre du moulin (facultatif)

**1.** Incisez l'écorce des marrons avec un couteau pointu ; mettez-les sur une plaque de cuisson. Passez-les 15 minutes environ à four chaud, à l'étage supérieur du four, jusqu'à ce que les écorces soient ouvertes.
**2.** Pendant qu'ils sont encore chauds, écorcez-les et retirez la peau interne. Hachez-les grossièrement.
**3.** Parez les choux de Bruxelles et lavez-les bien.
**4.** Coupez-les en deux dans le sens de la hauteur. Posez-les sur une planche à découper, partie bombée vers le haut, et ciselez-les finement.
**5.** Mettez-les dans un saladier avec les marrons. Versez l'assaisonnement et remuez bien, en salant et poivrant, si besoin est.

# Avocats au crabe

**Préparation : 10 minutes**
**Pour 4 personnes**

4 cuillères à soupe de
  mayonnaise épaisse
  (recette 30)

2 cuillères à soupe de ketchup

2 cuillères à café de jus de
  citron

sel

poivre du moulin

1 pomme

175 g de chair de crabe
  émiettée

2 gros avocats

**1.** Dans un saladier, mélangez la mayonnaise, le ketchup et le jus de citron ; salez et poivrez.
**2.** Coupez la pomme en quatre, retirez-en le cœur et râpez-la, non pelée, au-dessus de l'assaisonnement ; mélangez-bien.
**3.** Ajoutez le crabe (bien égoutté, s'il est en boîte).
**4.** Coupez les avocats en deux et retirez le noyau. Garnissez-les avec la préparation. Si vous ne les servez pas immédiatement, veillez à ce que toute la chair soit masquée par la garniture : le contact de l'air la ferait noircir.
**5.** Servez les avocats en hors-d'œuvre ou, pour un repas léger, avec une salade verte.

# Mandarines aux noisettes

**Préparation : 10 minutes**
**Pour 4 personnes en entrée**

4 grosses mandarines

50 g de noisettes décortiquées,
  avec la peau brune

225 g de fromage blanc moulé

50 g de raisins secs

sel

poivre du moulin

1 petite laitue

**1.** Pelez les mandarines de la façon suivante : incisez l'écorce en croix au sommet du fruit et, à partir du centre, rabattez les morceaux d'écorce, tels les pétales d'une fleur, en les laissant soudés à la tige ; gardez la mandarine intacte.
**2.** Retirez-la et divisez-la en quartiers, en enlevant la peau blanche. Coupez la chair en petits morceaux, que vous mettrez dans un saladier.
**3.** Réservez 4 noisettes entières pour la décoration ; hachez le reste grossièrement. Ajoutez-les au contenu du saladier.
**4.** Mettez le fromage blanc et les raisins secs ; salez et poivrez.
**5.** Transférez cette préparation dans l'écorce des fruits et posez une noisette entière dessus. Placez les mandarines sur des assiettes préalablement garnies de quelques feuilles de laitue.

# Salade indonésienne

**Préparation : 15 minutes**
**Cuisson : 15-20 minutes**
**Pour 4 à 6 personnes**

100 g de chou ciselé

100 g de haricots verts, coupés en tronçons de 4 cm

100 g de carottes émincées

100 g de chou-fleur, divisé en petits bouquets

sel

50 g de germes de soja

2 œufs durs écalés, coupés en rondelles

50 g de cacahuètes salées pour garnir

**Sauce épicée :**

4 cuillères à soupe de beurre de cacahuètes

jus de 1 gros citron

4 cuillères à soupe d'eau

quelques gouttes de Tabasco

sel

poivre du moulin

**1.** Faites cuire le chou, les haricots, les carottes et le chou-fleur séparément à l'eau bouillante salée, pendant quelques minutes : ils doivent être tendres, mais encore croquants. Rincez-les à l'eau froide pour qu'ils refroidissent plus vite (il est inutile de cuire les germes de soja).
**2.** Pour la sauce épicée, mettez le beurre de cacahuètes dans un bol. Peu à peu, incorporez le jus de citron puis l'eau, ajoutez quelques gouttes de Tabasco pour obtenir une sauce relevée ; salez et poivrez.
**3.** Mélangez les légumes cuits et les germes de soja. Disposez le tout dans un plat de service.
**4.** Répartissez les œufs durs sur la salade. Nappez de sauce épicée et décorez avec des cacahuètes.

# Salade de dinde aux noix

**Préparation : 15 minutes**
**Pour 4 personnes en plat principal**

450 g de blanc de dinde cuit

4 grandes branches de céleri émincées

1 poivron vert, épépiné et coupé en dés

50 g de cerneaux de noix émiettés

15 cl de crème fraîche

1 cuillère à soupe de vinaigre

sel

poivre du moulin

**Pour garnir :**

1 botte de cresson

quelques cerneaux

**1.** Coupez la dinde en cubes de 1 cm environ et mettez-les dans un saladier.
**2.** Ajoutez le céleri, le poivron et les noix.
**3.** Mélangez la crème fraîche, le vinaigre, du sel et du poivre ; remuez la sauce.
**4.** Versez-la sur la salade et remuez afin de bien enrober les ingrédients. Transférez-la sur un plat de service. Garnissez de cresson et de cerneaux. Vous pouvez aussi la présenter sur un lit de laitue ou de chicorée.

# Salade de moules

**Préparation : 40 minutes**
**Cuisson : 10 minutes**
**Pour 6 personnes en entrée, ou 4 en plat principal**

2 litres de moules fraîches

2 cuillères à soupe d'huile

2 échalotes ou 1 petit oignon, pelés et émincés, ou hachés

4 cuillères à soupe de vin blanc sec

sel

poivre du moulin

1 laitue ciselée pour servir

2 cuillères à soupe d'huile d'olive

1 cuillère à soupe de jus de citron

2 cuillères à soupe de persil frais haché

A défaut de moules fraîches, utilisez 350 g de moules décortiquées, en conserve ou surgelées, que vous assaisonnerez avec 15 cl de vinaigrette et du persil frais haché.

**1.** Jetez les moules dont la coquille est abîmée ou ne se ferme pas lorsque vous la tapez. Lavez les autres à grande eau.
**2.** Grattez-les et retirez l'attache filamenteuse avec un couteau pointu. Continuez à les laver abondamment jusqu'à ce que l'eau reste claire. Égouttez-les.
**3.** Faites chauffer l'huile dans une sauteuse et, à feu doux, mettez-y les échalotes ou l'oignon à revenir, jusqu'à ce qu'ils blondissent.
**4.** Versez le vin ; salez et poivrez légèrement. Ajoutez les moules. Couvrez le récipient, portez à ébullition et faites cuire 5 minutes, jusqu'à ce que les coquilles soient ouvertes. Secouez le récipient de temps en temps. Jetez les moules fermées.
**5.** Retirez les moules, réservez le liquide de cuisson et retirez-les des coquilles. Faites bouillir le liquide pour obtenir, après réduction, 15 cl de jus ; laissez-le refroidir.
**6.** Garnissez un plat de service, ou des assiettes, de laitue ciselée. Répartissez les moules dessus.
**7.** Mélangez le jus de cuisson avec l'huile, le jus de citron et le persil haché. Nappez-en la salade de moules.

# Notes

**1.** Sauf mention contraire, toutes les recettes sont pour 4 personnes.

**2.** Toutes les cuillères sont rases.

**3.** Les temps de cuisson risquent de varier sensiblement selon le four utilisé. Les mets doivent être placés au milieu du four, sauf précision contraire.

**4.** Préchauffez toujours le four ou le gril à la température indiquée.

## Remerciements

Photographies de Christine Hanscomb
Conception artistique d'Antonia Gaunt

**Texte anglais de Mary Cadogan**
**Adaptation française de Anne-Marie Thuot**

Première édition 1984 by Librairie Gründ, Paris
© 1984 Hennerwood Publications Ltd
59 Grosvenor Street, London W1
et pour la traduction française
© 1984 Librairie Gründ, Paris

ISBN : 2-7000-6504-2

Dépôt légal : juin 1984
Produced by Mandarin Publishers Ltd
22 a, Westlands Road
Quarry Bay, Hong Kong
Photocomposition : P.F.C., Dole.
Printed in Hong Kong